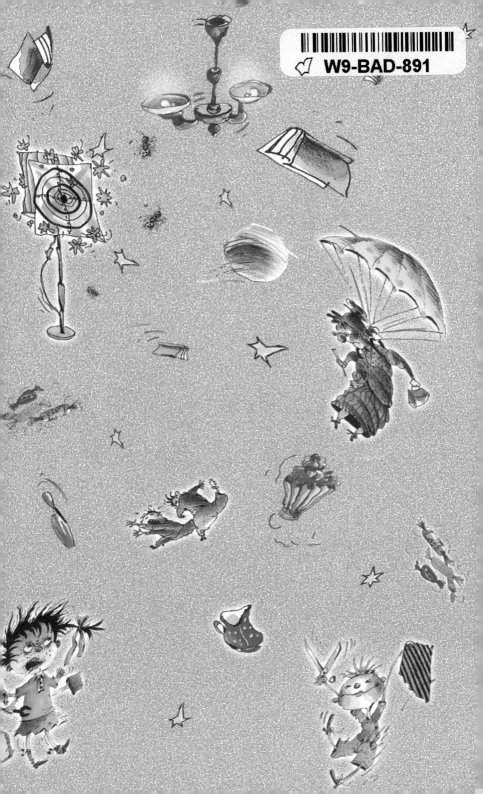

УДК 821.161.1-7-053.2
ББК 84 (2 Рос=Рус) 6-7
    О-76

ISBN 978-5-17-021913-1 (ООО «Издательство АСТ»)
ISBN 978-5-271-07586-5 (ООО «Издательство Астрель»)
ISBN 978-985-16-0816-0 (ООО «Харвест»)

Г. Остер

ВСЕ ВрЕДНыЕ СОВЕТЫ

Художник А. Мартынов

«ПЛАНЕТА ДЕТСТВА»

Размышления Автора
о том, кому можно читать эту книгу
Вместо предисловия

Размышление первое

Недавно учёные открыли, что на свете бывают непослушные дети, которые всё делают наоборот. Им дают полезный совет: «Умывайтесь по утрам», — они берут и не умываются. Им говорят: «Здоровайтесь друг с другом», — они тут же начинают не здороваться. Учёные придумали, что таким детям нужно давать не полезные, а вредные советы. Они всё сделают наоборот, и получится как раз правильно. Эта книжка для непослушных детей.

Размышление второе

Раньше учёные считали, что вредные советы можно читать только непослушным детям, которые всё делают наоборот.

Услышит такой ребёнок вредный совет, сделает по-другому — и получится как раз правильно. Но недавно учёные догадались, что послушным детям вредные советы тоже нужны. Оказывается, на послушного ребёнка вредный совет действует как прививка от глупости. Теперь учёные разрешают читать вредные советы всем детям — и послушным, и непослушным.

Размышление третье

Внимание! Опасно для мозгов!

Эта книга предназначена для непослушных детей, их родителей и учителей. Послушным детям разрешается читать не больше трёх вредных советов в день. При этом послушного ребёнка рекомендуется на всякий случай привязывать к стулу. Верёвками. В противном случае послушный ребёнок, наслушавшись вредных советов, возьмёт и выполнит всё то, что описано в этой ужасной книге.

Потерявшийся ребёнок
Должен помнить, что его
Отведут домой, как только
Назовёт он адрес свой.
Надо действовать умнее,
Говорите: «Я живу
Возле пальмы с обезьяной
На далёких островах».
Потерявшийся ребёнок,
Если он не дурачок,
Не упустит верный случай
В разных странах побывать.

Руками никогда нигде
Не трогай ничего.
Не впутывайся ни во что
И никуда не лезь.
В сторонку молча отойди,
Стань скромно в уголке
И тихо стой, не шевелясь,
До старости своей.

Кто не прыгал из окошка
Вместе с маминым зонтом,
Тот лихим парашютистом
Не считается пока.
Не лететь ему, как птице,
Над взволнованной толпой,
Не лежать ему в больнице
С забинтованной ногой.

Если всей семьёй купаться
Вы отправились к реке,
Не мешайте папе с мамой
Загорать на берегу.
Не устраивайте крика,
Дайте взрослым отдохнуть.
Ни к кому не приставая,
Постарайтесь утонуть.

Нет приятнее занятья,
Чем в носу поковырять.
Всем ужасно интересно,
Что там спрятано внутри.
А кому смотреть противно,
Тот пускай и не глядит.
Мы же в нос к нему не лезем,
Пусть и он не пристаёт.

Если вас поймала мама
За любимым делом вашим,
Например, за рисованьем
В коридоре на обоях,
Объясните ей, что это —
Ваш сюрприз к Восьмому марта,
Называется картина:
«Милой мамочки портрет».

«**Н**адо с младшими делиться!»
«Надо младшим помогать!»
Никогда не забывайте
Эти правила, друзья.
Очень тихо повторяйте
Их тому, кто старше вас,
Чтобы младшие про это
Не узнали ничего.

Если руки за обедом
Вы испачкали салатом
И стесняетесь о скатерть
Пальцы вытереть свои,
Опустите незаметно
Их под стол и там спокойно
Вытирайте ваши руки
Об соседские штаны.

Никогда вопросов глупых
Сам себе не задавай,
А не то ещё глупее
Ты найдёшь на них ответ.
Если глупые вопросы
Появились в голове,
Задавай их сразу взрослым.
Пусть у них трещат мозги.

Посещайте почаще
Театральный буфет.
Там пирожные с кремом,
С пузырьками вода.
Как дрова, на тарелках
Шоколадки лежат,
И сквозь трубочку можно
Пить молочный коктейль.
Не просите билеты
На балкон и в партер,
Пусть дадут вам билеты
В театральный буфет.
Уходя из театра,
Унесёте с собой
Под трепещущим сердцем,
В животе, бутерброд.

Родился девочкой — терпи
Подножки и толчки.
И подставляй косички всем,
Кто дёрнуть их не прочь.
Зато когда-нибудь потом
Покажешь кукиш им
И скажешь: «Фигушки, за вас
Я замуж не пойду!»

Если вы с друзьями вместе
Веселитесь во дворе,
А с утра на вас надели
Ваше новое пальто,
То не стоит ползать в лужах,
И кататься по земле,
И взбираться на заборы,
Повисая на гвоздях.
Чтоб не портить и не пачкать
Ваше новое пальто,
Нужно сделать его старым.
Это делается так:
Залезайте прямо в лужу,
Покатайтесь по земле
И немножко на заборе
Повисите на гвоздях.

Очень скоро станет старым
Ваше новое пальто.
Вот теперь спокойно можно
Веселиться во дворе.
Можно смело ползать в лужах,
И кататься по земле,
И взбираться на заборы,
Повисая на гвоздях.

Если вы по коридору
Мчитесь на велосипеде,
А навстречу вам из ванной
Вышел папа погулять,
Не сворачивайте в кухню,
В кухне — твёрдый холодильник.
Тормозите лучше в папу.
Папа мягкий. Он простит.

Если вас навек сплотили,
Озарили и ведут,
Не пытайтесь уклониться
От движенья к торжеству.
Всё равно на труд поднимет
И на подвиг вдохновит
Вас великий и могучий,
И надёжный наш оплот.

Главным делом жизни вашей
Может стать любой пустяк.
Надо только твёрдо верить,
Что важнее дела нет.
И тогда не помешает
Вам ни холод, ни жара,
Задыхаясь от восторга,
Заниматься чепухой.

Бейте палками лягушек,
Это очень интересно.
Отрывайте крылья мухам,
Пусть побегают пешком.
Тренируйтесь ежедневно,
И наступит день счастливый –
Вас в какое-нибудь царство
Примут главным палачом.

Девчонок надо никогда
Нигде не замечать.
И не давать прохода им
Нигде и никогда.
Им надо ножки подставлять,
Пугать из-за угла,
Чтоб сразу поняли они:
До них вам дела нет.

Девчонку встретил — быстро ей
Показывай язык.
Пускай не думает она,
Что ты в неё влюблён.

Начиная драку с папой,
Затевая с мамой бой,
Постарайся сдаться маме, —
Папа пленных не берёт.
Кстати, выясни у мамы,
Не забыла ли она —
Пленных бить ремнём по попе
Запрещает Красный Крест.

Если ты весь мир насилья
Собираешься разрушить
И при этом стать мечтаешь
Всем, не будучи ничем,
Смело двигайся за нами
По проложенной дороге,
Мы тебе дорогу эту
Можем даже уступить.

Не соглашайся ни за что
Ни с кем и никогда,
А кто с тобой согласен, тех
Трусливыми зови.
За это все тебя начнут
Любить и уважать.
И всюду будет у тебя
Полным-полно друзей.

Если в кухне тараканы
Маршируют по столу
И устраивают мыши
На полу учебный бой,
Значит, вам пора на время
Прекратить борьбу за мир
И все силы ваши бросить
На борьбу за чистоту.

Если вы собрались другу
Рассказать свою беду,
Брать за пуговицу друга
Бесполезно — убежит,
И на память вам оставит
Эту пуговицу друг.
Лучше дать ему подножку,
На пол бросить, сверху сесть
И тогда уже подробно
Рассказать свою беду.

Если ты пришёл к знакомым,
Не здоровайся ни с кем,
Слов «пожалуйста», «спасибо»
Никому не говори.
Отвернись и на вопросы
Ни на чьи не отвечай.
И тогда никто не скажет
Про тебя, что ты болтун.

Если что-нибудь случилось
И никто не виноват,
Не ходи туда, иначе
Виноватым будешь ты.
Спрячься где-нибудь в сторонке.
А потом иди домой
И про то, что видел это,
Никому не говори.

Если не купили вам пирожное
И в кино с собой не взяли вечером,
Нужно на родителей обидеться
И уйти без шапки в ночь холодную.
Но не просто так бродить по улицам,
А в дремучий тёмный лес отправиться.
Там вам сразу волк голодный встретится,
И, конечно, быстро вас он скушает.
Вот тогда узнают папа с мамою,
Закричат, заплачут и забегают,
И помчатся покупать пирожное,
И в кино с собой возьмут вас вечером.

Посмотрите, что творится
В каждом доме по ночам.
Отвернувшись к стенке носом,
Молча взрослые лежат.
Шевелят они губами
В беспросветной темноте
И с закрытыми глазами
Пяткой дергают во сне.
Ни за что не соглашайтесь
По ночам идти в кровать,
Никому не позволяйте
Вас укладывать в постель.
Неужели вы хотите
Годы детские свои
Провести под одеялом,
На подушке, без штанов?

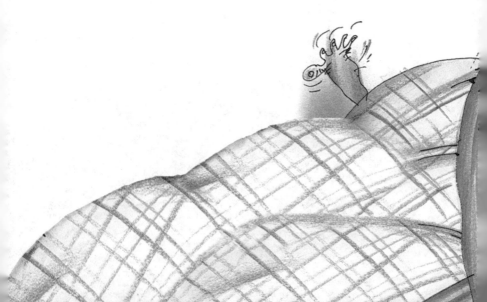

Есть верное средство
                    понравиться взрослым:
С утра начинайте орать и сорить,
Подслушивать, хныкать, по дому носиться,
Лягаться и клянчить подарки у всех.
Хамите, хитрите, дразните и врите,
А к вечеру вдруг перестаньте на час, —
И сразу, с улыбкой растроганной глядя,
Все взрослые вас по головке погладят
И скажут, что вы замечательный мальчик
И нету ребёнка приятнее вас.

Если ты пришел на Ёлку,
Свой подарок требуй сразу,
Да гляди, чтоб ни конфеты
Не зажилил Дед Мороз.
И не вздумай беззаботно
Приносить домой остатки.
Как наскочут папа с мамой —
Половину отберут.

Если ждёт вас наказанье
За плохое поведенье,
Например, за то, что в ванной
Вы свою купали кошку,
Не спросивши разрешенья
Ни у кошки, ни у мамы,
Предложить могу вам способ,
Как спастись от наказанья.
Головою в пол стучите,
Бейте в грудь себя руками
И рыдайте, и кричите:

«Ах, зачем я мучил кошку?!
Я достоин страшной кары!
Мой позор лишь смерть искупит!»
Не пройдёт и полминуты,
Как, рыдая вместе с вами,
Вас простят и, чтоб утешить,
Побегут за сладким тортом.
И тогда спокойно кошку
Вы за хвост ведите в ванну,
Ведь наябедничать кошка
Не сумеет никогда.

Например, у вас в кармане
Оказалась горсть конфет,
А навстречу вам попались
Ваши верные друзья.
Не пугайтесь и не прячьтесь,
Не кидайтесь убегать,
Не пихайте все конфеты
Вместе с фантиками в рот.
Подойдите к ним спокойно,
Лишних слов не говоря,
Быстро вынув из кармана,
Протяните им... ладонь.

Крепко руки им пожмите,
Попрощайтесь не спеша
И, свернув за первый угол,
Мчитесь быстренько домой.
Чтобы дома съесть конфеты,
Залезайте под кровать,
Потому что там, конечно,
Вам не встретится никто.

Возьми густой вишнёвый сок
И белый мамин плащ.
Лей аккуратно сок на плащ —
Появится пятно.
Теперь, чтоб не было пятна
На мамином плаще,
Плащ надо сунуть целиком
В густой вишнёвый сок.
Возьми вишнёвый мамин плащ
И кружку молока.
Лей аккуратно молоко —
Появится пятно.

Теперь, чтоб не было пятна
На мамином плаще,
Плащ надо сунуть целиком
В кастрюлю с молоком.
Возьми густой вишнёвый сок
И белый мамин плащ.
Лей аккуратно...

Если вы окно разбили,
Не спешите признаваться.
Погодите — не начнётся ль
Вдруг гражданская война.

Артиллерия ударит,
Стёкла вылетят повсюду,
И никто ругать не станет
За разбитое окно.

Бей друзей без передышки
Каждый день по полчаса,
И твоя мускулатура
Станет крепче кирпича.
А могучими руками
Ты, когда придут враги,
Сможешь в трудную минуту
Защитить своих друзей.

Никогда не мойте руки,
Шею, уши и лицо.
Это глупое занятье
Не приводит ни к чему.
Вновь испачкаются руки,
Шея, уши и лицо,
Так зачем же тратить силы,
Время попусту терять.
Стричься тоже бесполезно,
Никакого смысла нет.
К старости сама собою
Облысеет голова.

Никогда не разрешайте
Ставить градусник себе,
И таблеток не глотайте,
И не ешьте порошков.
Пусть болят живот и зубы,
Горло, уши, голова,
Всё равно лекарств не пейте
И не слушайте врача.
Перестанет биться сердце,
Но зато наверняка
Не прилепят вам горчичник
И не сделают укол.

Если мама в магазине
Вам купила только мячик
И не хочет остальное,
Всё, что видит, покупать,
Станьте прямо, пятки вместе,
Руки в стороны расставьте,
Открывайте рот пошире
И кричите букву «А»!
И когда, роняя сумки,
С воплем: «Граждане! Тревога!»
Покупатели помчатся
С продавцами во главе,
К вам директор магазина
Подползёт и скажет маме:
«Заберите всё бесплатно,
Пусть он только замолчит».

Когда тебя родная мать
Ведёт к зубным врачам,
Не жди пощады от неё,
Напрасных слёз не лей.
Молчи, как пленный партизан,
И стисни зубы так,
Чтоб не сумела их разжать
Толпа зубных врачей.

Если ты остался дома
Без родителей, один,
Предложить тебе могу я
Интересную игру
Под названьем «Смелый повар»
Или «Храбрый кулинар».

Суть игры в приготовленьи
Всевозможных вкусных блюд.
Предлагаю для начала
Вот такой простой рецепт:
Нужно в папины ботинки
Вылить мамины духи,
А потом ботинки эти
Смазать кремом для бритья,
И, полив их рыбьим жиром
С чёрной тушью пополам,
Бросить в суп, который мама
Приготовила с утра.
И варить с закрытой крышкой
Ровно семьдесят минут.
Что получится, узнаешь,
Когда взрослые придут.

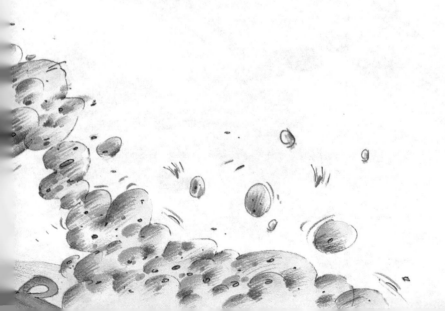

Если друг твой самый лучший
Поскользнулся и упал,
Покажи на друга пальцем
И хватайся за живот.
Пусть он видит, лёжа в луже, —
Ты ничуть не огорчён.
Настоящий друг не любит
Огорчать своих друзей.

Если вы ещё не твёрдо
В жизни выбрали дорогу
И не знаете, с чего бы
Трудовой свой путь начать,
Бейте лампочки в подъездах —
Люди скажут вам «спасибо».
Вы поможете народу
Электричество беречь.

Чтобы выгнать из квартиры
Разных мух и комаров,
Надо сдёрнуть занавеску
И крутить над головой.

Полетят со стен картины,
С подоконника — цветы.
Кувыркнётся телевизор,
Люстра врежется в паркет.
И, от грохота спасаясь,
Разлетятся комары,
А испуганные мухи
Стаей кинутся на юг.

Если вы с утра решили
Хорошо себя вести,
Смело в шкаф себя ведите
И ныряйте в темноту.
Там ни мамы нет, ни папы,
Только папины штаны.
Там никто не крикнет громко:
«Прекрати! Не смей! Не тронь!»
Там гораздо проще будет,
Не мешая никому,
Целый день себя прилично
И порядочно вести.

Решил подраться — выбирай
Того, кто послабей.
А сильный может сдачи дать,
Зачем тебе она?
Чем младше тот, кого ты бьёшь,
Тем сердцу веселей
Глядеть, как плачет он, кричит
И мамочку зовёт.
Но если вдруг за малыша
Вступился кто-нибудь,
Беги, кричи и громко плачь,
И мамочку зови.

Есть надёжный способ папу
Навсегда свести с ума.
Расскажите папе честно,
Что вы делали вчера.
Если он при этом сможет
Удержаться на ногах,
Объясните, чем заняться
Завтра думаете вы.
И когда с безумным видом
Папа песни запоёт,
Вызывайте неотложку.
Телефон её 03.

Если вы гуляли в шапке,
А потом она пропала,
Не волнуйтесь, маме дома
Можно что-нибудь соврать.
Но старайтесь врать красиво,
Чтобы, глядя восхищённо,
Затаив дыханье, мама
Долго слушала враньё.

Но уж если вы наврали
Про потерянную шапку,
Что её в бою неравном
Отобрал у вас шпион,
Постарайтесь, чтобы мама
Не ходила возмущаться
В иностранную разведку,
Там её не так поймут.

Если ты в своём кармане
Ни копейки не нашёл,
Загляни в карман к соседу, —
Очевидно, деньги там.

Если твой сосед по парте
Стал источником заразы,
Обними его — и в школу
Две недели не придёшь.

Чтобы самовозгоранья
В доме не произошло,
Выходя из помещенья,
Уноси с собой утюг.
Пылесос, электроплитку,
Телевизор и торшер
Лучше, с лампочками вместе,
Вынести в соседний двор.
А ещё надёжней будет
Перерезать провода,
Чтоб во всём твоём районе
Сразу вырубился свет.
Тут уж можешь быть уверен
Ты почти наверняка,
Что от самовозгоранья
Дом надёжно уберёг.

Спички — лучшая игрушка
Для скучающих детей.
Папин галстук, мамин паспорт —
Вот и маленький костёр.
Если тапочки подкинуть
Или веник подложить,
Можно целый стул зажарить,
В тумбочке сварить уху.
Если взрослые куда-то
Спички спрятали от вас,
Объясните им, что спички
Для пожара вам нужны.

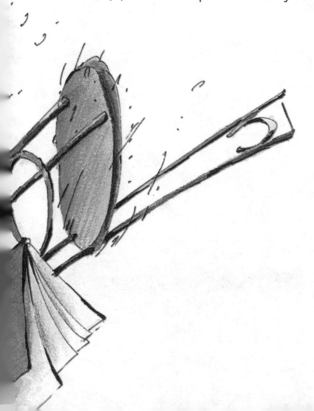

Если, сына отмывая,
Обнаружит мама вдруг,
Что она не сына моет,
А чужую чью-то дочь...
Пусть не нервничает мама,
Ну не всё ли ей равно?
Никаких различий нету
Между грязными детьми.

Когда состаришься — ходи
По улице пешком.
Не лезь в автобус, всё равно
Стоять придётся там.
И нынче мало дураков,
Чтоб место уступать,
А к тем далёким временам
Не станет их совсем.

Если вы в футбол играли
На широкой мостовой
И, ударив по воротам,
Вдруг услышали свисток,
Не кричите: «Гол!», — возможно,
Это милиционер
Засвистел, когда попали
Не в ворота, а в него.

Убегая от трамвая,
Не спеши под самосвал.
Погоди у светофора,
Не покажется пока
Скорой помощи машина —
В ней полным-полно врачей.
Пусть они тебя задавят.
Сами вылечат потом.

Если вы врагов хотите
Победить одним ударом,
Вам ракеты, и снаряды,
И патроны ни к чему.
Сбросьте к ним на парашюте

....
(эту строчку сам заполни).

Через час враги, рыдая,
Прибегут сдаваться в плен.

Если ты совет последний
Сам не хочешь вставить в строчку,
Выбери себе любую
Из предложенных тебе.

Сбросьте к ним на парашюте:
Вашу младшую сестрёнку,
Папу, бабушку и маму,
Два мешка рублей и трёшек,
Директрису вашей школы,
Педсовет в составе полном,
Двигатель от «Запорожца»,
Стоматологов десяток,
Мальчика Чернова Сашу,
Маленькую Машу Остер,
Чай из школьного буфета,
Книжку «Вредные советы»...

Через час враги, рыдая,
Прибегут сдаваться в плен.

Если вас зовут обедать,
Гордо прячьтесь под диван
И лежите там тихонько,
Чтоб не сразу вас нашли.
А когда из-под дивана
Будут за ноги тащить,
Вырывайтесь и кусайтесь,
Не сдавайтесь без борьбы.
Если всё-таки достанут
И за стол посадят вас,
Опрокидывайте чашку,
Выливайте на пол суп.
Зажимайте рот руками,
Падайте со стула вниз.

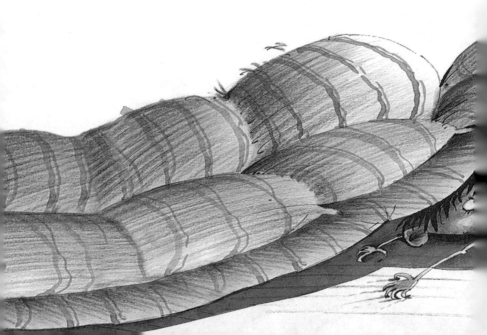

А котлеты вверх бросайте,
Пусть прилипнут к потолку.
Через месяц люди скажут
С уважением о вас:
«С виду он худой и дохлый,
Но зато характер твёрд».

Если вы решили первым
Стать в рядах своих сограждан —
Никогда не догоняйте
Устремившихся вперёд.

Через пять минут, ругаясь,
Побегут они обратно,
И тогда, толпу возглавив,
Вы помчитесь впереди.

Если к папе или к маме
Тётя взрослая пришла
И ведёт какой-то важный
И серьёзный разговор,
Нужно сзади незаметно
К ней подкрасться, а потом
Громко крикнуть прямо в ухо:
«Стой! Сдавайся! Руки вверх!»
И когда со стула тётя
С перепугу упадёт
И прольёт себе на платье

Чай, компот или кисель,
То, наверно, очень громко
Будет мама хохотать,
И, гордясь своим ребёнком,
Папа руку вам пожмёт.
За плечо возьмёт вас папа
И куда-то поведёт.
Там, наверно, очень долго
Папа будет вас хвалить.

Заведи себе тетрадку
И записывай подробно,
Кто кого на переменке
Сколько раз куда послал,
С кем учитель физкультуры
Пил кефир в спортивном зале
И что папа ночью маме
Тихо на ухо шептал.

Если острые предметы
Вам попались на глаза,
Постарайтесь их поглубже
В самого себя воткнуть.
Это самый лучший способ
Убедиться самому,
Что опасные предметы
Надо прятать от детей.

Требуют тебя к ответу?
Что ж, умей держать ответ.
Не трясись, не хнычь, не мямли,
Никогда не прячь глаза.
Например, спросила мама:
«Кто игрушки разбросал?»
Отвечай, что это папа
Приводил своих друзей.

Ты подрался с младшим братом?
Говори, что первый он
Бил тебя ногой по шее
И ругался как бандит.
Если спросят, кто на кухне
Все котлеты искусал,
Отвечай, что кот соседский,
А, возможно, сам сосед.
В чём бы ты ни провинился,
Научись держать ответ.
За свои поступки каждый
Должен смело отвечать.

Если вы решили твёрдо
Самолёт угнать на Запад,
Но не можете придумать,
Чем пилотов напугать,
Почитайте им отрывки
Из сегодняшней газеты, —
И они в страну любую
Вместе с вами улетят.

Дразниться лучше из окна,
С восьмого этажа.
Из танка тоже хорошо,
Когда крепка броня.
Но если хочешь довести
Людей до горьких слёз,
Их безопаснее всего
По радио дразнить.

Когда роняет чашку гость,
Не бейте гостя в лоб.
Другую чашку дайте, пусть
Он пьёт спокойно чай.
Когда и эту чашку гость
Уронит со стола,
В стакан налейте чай ему
И пусть спокойно пьёт.
Когда же всю посуду гость
В квартире перебьёт,
Придётся сладкий чай налить
За шиворот ему.

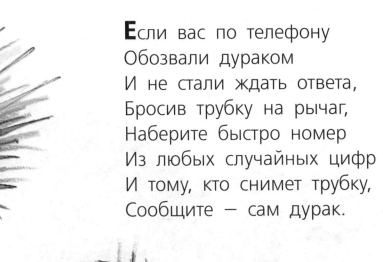

Если вас по телефону
Обозвали дураком
И не стали ждать ответа,
Бросив трубку на рычаг,
Наберите быстро номер
Из любых случайных цифр
И тому, кто снимет трубку,
Сообщите — сам дурак.

Адрес школы, той, в которой
Посчастливилось учиться,
Как таблицу умноженья
Помни твёрдо, наизусть,
И когда тебе случится
Повстречаться с диверсантом,
Не теряя ни минуты,
Адрес школы сообщи.

Не расстраивайтесь, если
Вызывают в школу маму
Или папу. Не стесняйтесь,
Приводите всю семью.
Пусть приходят дяди, тёти
И троюродные братья,
Если есть у вас собака,
Приводите и её.

Если вы сестру решили
Только в шутку напугать,
А она от вас по стенке
Убегает босиком,
Значит, шуточки смешные
Не доходят до неё
И не стоит класть сестрёнке
В тапочки живых мышей.

Если ты сестру застукал
С женихами во дворе,
Не спеши её скорее
Папе с мамой выдавать.
Пусть родители сначала
Замуж выдадут её,
Вот тогда расскажешь мужу
Всё, что знаешь, про сестру.

Если гонятся за вами
Слишком много человек,
Расспросите их подробно
Чем они огорчены?
Постарайтесь всех утешить,
Дайте каждому совет,
Но снижать при этом скорость
Совершенно ни к чему.

Не обижайтесь на того,
Кто бьёт руками вас,
И не ленитесь каждый раз
Его благодарить
За то, что не жалея сил
Он вас руками бьёт,
А мог бы в эти руки взять
И палку, и кирпич.

Если друг на день рожденья
Пригласил тебя к себе,
Ты оставь подарок дома —
Пригодится самому.
Сесть старайся рядом с тортом,
В разговоры не вступай:
Ты во время разговора
Вдвое меньше съешь конфет.
Выбирай куски помельче,
Чтоб быстрее проглотить.

Не хватай салат руками —
Ложкой больше зачерпнёшь.
Если вдруг дадут орехи,
Сыпь их бережно в карман,
Но не прячь туда варенье —
Трудно будет вынимать.

Перед тем как у своих родителей
Что-нибудь хорошее выпрашивать,
У себя спросите: «Заслужил ли я?

Был ли я послушным, милым мальчиком?»
Если да — просите вдвое большего
Если нет — просите вдвое жалобней.

Просыпаясь, первым делом
Обещай не начинать
Ничего того, что будешь
Продолжать сегодня ты.

Перед сном проси прощенья
И не делать обещай
Ничего того, что делал
Ты сегодня целый день.

Просыпаясь, первым делом
Обещай не продолжать...
Перед сном проси прощенья
И не делать обещай...

Часто мама обещанья
Не приводит в исполненье,
Но не стоит огорчаться,
Обижаться и ворчать,
Если выполнить придётся
Маме всё, что обещала,
То, боюсь, живого места
Ты на попе не найдёшь.

Когда милиция уже
В твою стучится дверь,
Чтобы за шиворот тебя
Вести в свою тюрьму
За то, что бабушку и мать
Ты загоняешь в гроб,
Скажи им: «Ладно. Так и быть.
Я вашу кашу съем».

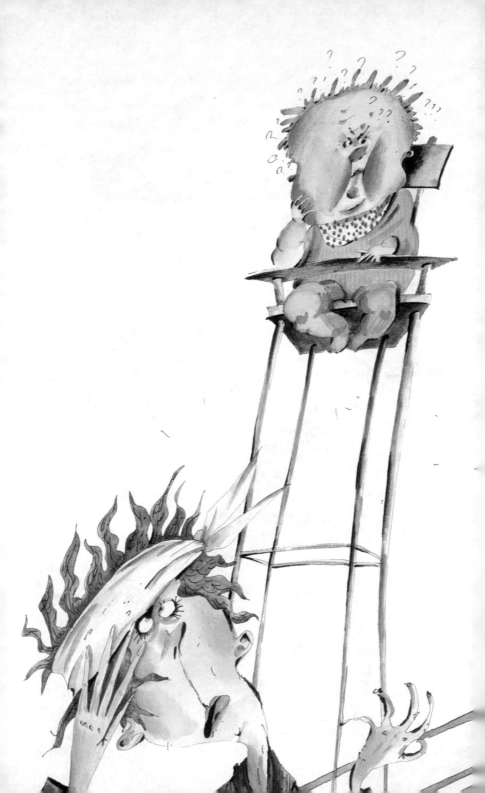

Если ты не знаешь арифметику,
Могут обмануть тебя родители.
Скажут: «Съешь, сынок, четыре ложечки», —
А подсунут восемь с половиною.
Вот причина, по которой многие
С детства ненавидят арифметику.

Если мама не сразу
Тебя узнаёт,
Посмотри, на кого
Ты сегодня похож,
И запомни его.
Если встретишь в лесу,
Даже близко не надо
К таким подходить.

Если взрослые люди сидят за столом
И варенье клубничное с тортом едят,
А тебе предложили отправиться спать
И никто заступаться не стал за тебя,
Расскажи на прощание, как во дворе
Ты облезлую дохлую кошку нашёл.
Да, от сна эта кошка тебя не спасёт,
Но немножко испортит им всем аппетит.

Если чай в стакане долго
Не желает остывать
И уже терпенья нету
На него сидеть и дуть,
Свой стакан с горячим чаем
На коленки опрокинь.
На ошпаренных коленках
Очень быстро стынет чай.

Не ходи в ботинках грязных
По накрытому столу,
Чтоб никто в твоей тарелке
Не нашёл твоих следов.

Ловкий маленький охотник,
Между рюмками скользя,
Должен к праздничному торту
Пробираться босиком.

Если вас забыли в детском садике,
Не пришли и не забрали вовремя,
Причешитесь и женитесь быстренько
На одной из ваших воспитательниц.
У какой квартира поприличнее,
Той и стоит сделать предложение.

Попасть в отличников ряды
Не так-то просто, но
На свете есть один рецепт,
Проверенный давно:
Возьми на кухне помидор
И выгляни в окно.
Возможно, там увидишь ты
Отличников ряды.
Учиться умники идут.
Смотри не промахнись!

Будь вежлив с мамами друзей,
Здоровайся входя.
Сердитых слов не говори.
По пустякам не спорь.
Ногами топать и кричать
На мам чужих нельзя,
Ведь есть у каждого из нас
Для этого своя.

Если мама тебя на работу взяла,
Чтобы ты не остался в квартире один,
Постарайся вести себя так, чтобы ей
На прощание главный начальник сказал:

«Я подобных детей
Не видал никогда.
Вам, конечно, нельзя
На работу ходить.
Вам, с ребёнком таким,
Надо дома сидеть
И держать его за руки,
Ноги связав».

Не надо стёкла доставать
Из маминых очков
И бить по папиным часам
Железным молотком.
И не поите молоком
Аквариумных рыб,
Пока родители ещё
Из дома не ушли.

Если бабушка устала
И присела отдохнуть,
Громыхни над нею звонко
Парой крышек от кастрюль.
Задремавшую старушку
Надо вовремя взбодрить —
Сразу в бабушке проснётся
Много новых свежих сил.

Если мальчик хулиганит
Или девочка шалит,
Ловят их и бьют по попе,
Чтобы знали наперёд.
Это самый лучший метод
Воспитанья мелюзги.
Можно всех по попам шлёпать,
Кроме ос, шмелей и пчёл.

Если ты боишься ночью
Оставаться в темноте,
Захвати с собою спички,
Перед тем как спать идти.
Подожги матрас, подушку,
Одеяло, простыню —
И тебе не будет страшно:
Станет в комнате светло.

Если в старости глубокой
Ты когда-нибудь умрёшь
И предстанешь перед Богом,
Расскажи Ему о том,
Как тебя тащила мама
Рано утром в детский сад...
И тебе за эти муки
Все грехи твои простят.

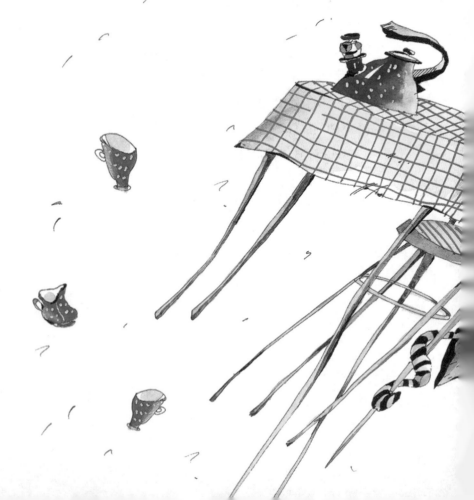

Совершать свои поступки
Уходи в другой район,
Потому что, если дома
Ты их будешь совершать,
Потрясённые соседи
Могут взять с тебя пример,
И тогда в твоём квартале
Невозможно станет жить.

Если буквы ещё
Не умеешь читать,
Открывай-ка букварь
И зубри алфавит.
Надо многое знать
И немало уметь,
Чтобы мелом писать
На заборах слова.

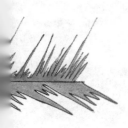

Если ты при виде школы
Весь дрожишь от жажды знаний —
Заходи! Тебе учитель
Обязательно нальёт.

Затыкайте уши ватой
Перед первым сентября
И спокойно на уроках
Отдыхайте в тишине,
Наблюдая с интересом,
Как учитель у доски
Открывает рот беззвучно
И губами шевелит.
Как приятно будет в мае
Вынуть вату из ушей!
Как просторно будет мыслям
Кувыркаться в голове!

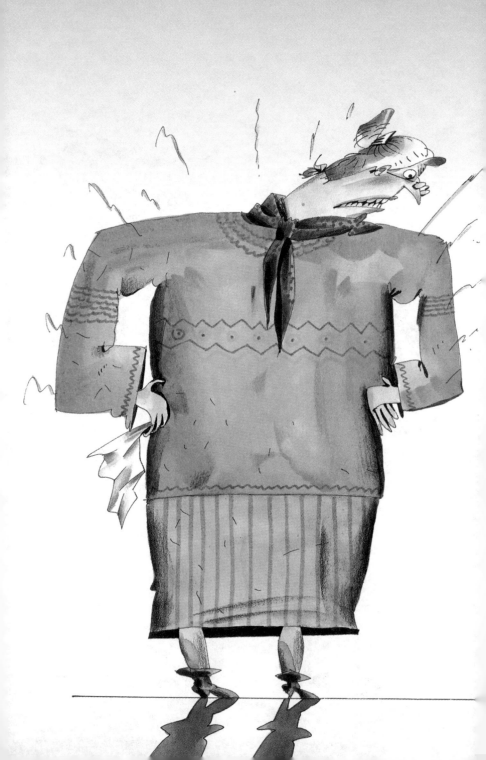

Если девочке записку
Шлёшь на русском языке
И, промазав, попадёшь
Вдруг учительнице в лоб,
То тебя заставить могут
Прямо в классе, у доски,
Всем показывать свой способ
«Цыловаться» через Ы.

Если в школу опоздал
На урок литературы
И придумать не сумел
Уважительной причины,
Говори, что поправлял
Дяде хворому подушку,
Потому что дядя твой
Уважать себя заставил.

Есть на свете немало
Поучительных книг.
Пусть тебя не пугает
Этих книг толщина.
Если толстую книгу
Пополам разорвать,
То в два раза быстрее
Её можно прочесть.

Постарайся школьного директора
Довести до белого каления,
Но смотри, чтоб он,
От злости лопаясь,
Не обжёг тебя
Своими брызгами.

Если по уши влюбилась,
Берегись любви несчастной.
Почему влюбляться надо
Непременно в одного?
Лучше в нескольких влюбляйся —
Сразу больше вероятность,
Что один из них оценит
Сердце верное твоё.

Если спросят на уроке,
Где домашнее заданье,
Отвечай, что одичало
И в дремучий лес ушло.

Отними, сложи...
Умножив,
Честно с папой раздели
И скажи ему, что в школе
Учат этому тебя.

Если ты курил, скрываясь
В диких дебрях средней школы,
И, почуяв запах дыма,
Педагог подкрался вдруг,
Ловко пряча сигарету,
Гордо крикни: «От пожара
Я спасал родную школу,
Вот — штаны ещё горят».

Портфель свой с вечера готовь:
Сначала положи
Туда учебники, потом
Насыпь карандаши,
Добавь тетради, накроши
Заполненный дневник
И, кипятком залив, поставь
На медленный огонь.

В ответ на бранные слова
С улыбкой промолчи
И сделай вид, что вообще
Таких не знаешь слов.
Пусть некультурный человек
Ругается, а ты,
Не отвечая, продолжай
По шее бить его.

Если ты до кнопки лифта
Всё ещё не достаёшь,
Поищи себе подругу
С парой стройных длинных ног.
У такой на шее сидя,
Нажимая кнопки все,
С ветерком домчишься в лифте
До любого этажа.

Пальто и куртку не носи,
Носки не надевай,
В мороз и слякоть выбегай
Из дома налегке.
Ходи без шапки, но трусы
Всегда бери с собой,
Чтоб, если вдруг простынешь, мог
В них высморкаться ты.

Если школьный учитель
Отцу позвонил
И настойчиво в школу
Его приглашал,
Чтобы там показать ему
Классный журнал,
Ты к любому киоску
Отца подведи
И скажи: «Ну зачем тебе
В школу ходить?
Столько классных журналов
Теперь издают!»

Если ты застрял на ветке
И боишься прыгать вниз,
Продолжай висеть на месте,
Понапрасну не рискуй.
Скоро солнышко пригреет,
Повернись к нему бочком.
К осени нальёшься соком —
Может, кто-нибудь сорвёт.

Если ты свой стол рабочий
Разным хламом забросал,
На диван клади тетради,
Книги кучей на пол сыпь.
В комнате по грудь зарылся —
Можно в кухню перейти.
Завалил свою квартиру —
Приходи к соседям жить.
До Кремля страну засыпал —
За границу уезжай.
Всю замусорил планету —
Отправляйся на Луну.

Если ты не смог на карте
Отыскать свою страну,
Не оплакивай Отчизну —
Географию учи!

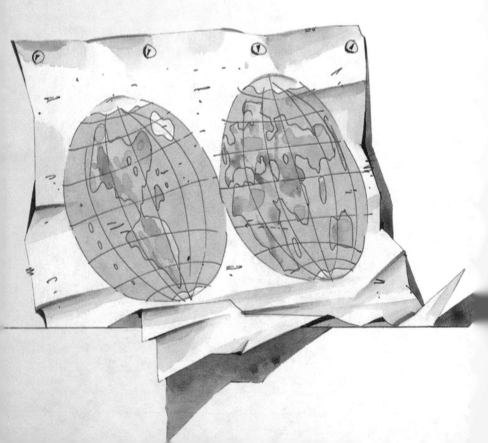

Если требует учитель
Рассказать, зачем Кутузов
Собирал совет военный
У села Бородино,
На груди скрестите руки
И скажите, что герои
За несчастную четвёрку
Тайн врагу не выдают.

Давным-давно пора уже
Задуматься о том,
Каким ты хочешь быть, когда
Немного подрастёшь.
Нетрудно, если захотеть,
Мальчишкой сильным стать,
А можно девочкой с косой
И бантом. Выбирай!

Тот, кто вылетел из школы
Со второго этажа,
Всё равно по всем предметам
Должен быть на высоте.
Прерывать процесс учебный
Не имеет прав никто.
Пусть, пока паденье длится,
Повторяет падежи.

Береги под сердцем память
О далёких школьных днях.
Пробегая мимо школы,
Оглянись хоть иногда.
Вспомни ласковые лица
Всех своих учителей,
Ведь тебе ещё придётся
Им экзамены сдавать.

Перед тем как сесть в автобус,
Каждый раз бинтуйте ногу,
И тогда старушке место
Не придётся уступать.

Если вам на шею ключ
На верёвочке надели,
Чтобы сами вы могли
Попадать в свою квартиру,
В руки жуликам его
Просто так не отдавайте,
Пусть они сначала вам
Кровью сердца поклянутся

Приподнять и унести
Из квартиры пианино,
На котором вас играть
Заставляют ежедневно.

Носи награды на груди,
А если не дают,
Пойди и сам им дай... понять,
Что ты отважней их.
За это щедрою рукой
Навешают тебе.
Помазал йодом — и носи
Под глазом и на лбу.

Если дедушка с лопатой
Дни проводит в огороде,
Встань пораньше, до рассвета,
И, с лопатой, — в огород!
Но, конечно, если не был
Дед твой в юности пиратом,
Ни сокровищ, ни скелетов
Не удастся накопать.

Постарайся реже маме
Попадаться на глаза —
Никогда не знаешь, что ей
Завтра в голову придёт.
То картошку есть заставит,
То причёсывать начнёт,
Может вдруг подкрасться сзади
И послать за молоком,
Или выскочит из кухни
И отправит руки мыть...
Нет уж, лучше с этой мамой
Не встречаться никогда.

Если мелкие мурашки
Побежали по спине,
Значит, или очень страшно,
Или холодно тебе,
Или ты в лесу дремучем
Заблудился и продрог
И теперь, дрожа от страха,
В муравейнике сидишь.

Если с грязными ногтями
Две недели походить,
То под каждым грязным ногтем
Заведётся жуткий яд.
И когда во время драки
Поцарапаешь врага,
Молча он в мученьях страшных
На глазах твоих умрёт.

Будь опрятным, аккуратным,
Чистым с ног до головы,
Щёткой зубы и ботинки
Регулярно три с утра.
Если утром щётку с пастой
Не сумел засунуть в рот,
Значит, щётка не зубная,
А сапожная была.

Если младшая сестрёнка
Заблудилась в огороде
И орёт, не в силах к дому
Путь обратный отыскать,
Быстро прячься за кустами,
Наконец-то ты увидишь,
Как родители в капусте
Ищут маленьких детей.

Посмотрите на себя.
Неужели вам не стыдно?
Ну тогда идите спать.
Видимо, уже стемнело.

Например, тебя раздели
И намыливать хотят,
Погоди, не вырывайся,
Не пытайся улизнуть.
Подставляй живот и ноги,
Пусть намылят до ушей.
Чем намыленнее станешь,
Тем быстрее ускользнёшь.

Отнимая игрушку,
Ничего не кричи,
Потому что охрипнешь
И не сможешь орать,
Когда эту игрушку,
Вырывая из рук,
Будут молча обратно
У тебя отнимать.

Если ты горяч, как чайник,
Или вспыльчив, как ковёр,
Попроси, чтоб остудили
Или выбили тебя.

Когда, открыв аптечку, ты
Найдёшь таблетки там,
Не привередничай, бери
И кушай всё подряд.
Пускай похвалит мама твой
Прекрасный аппетит,
Когда под шкафчиком с крестом
Потом найдёт тебя.

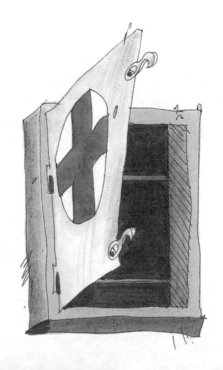

Взрослый может быть опасен,
Если он тебе отец.
Раздражать его не стоит,
Если долго он сидел
На родительском собранье,
А потом домой пришёл,
В шкаф костюм уже повесил
И ремень освободил.

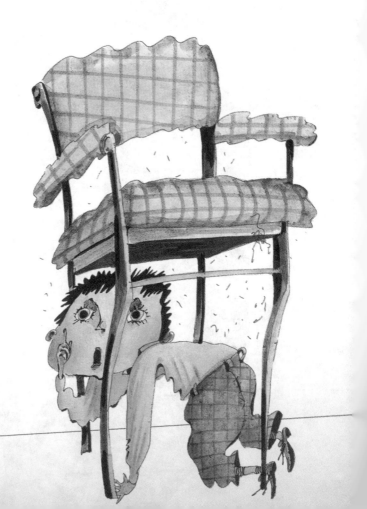

Не давайте близким на ночь
Школьный свой дневник читать,
Будут их потом кошмары
Часто мучить по ночам.
Станет мама заикаться,
Папа дёргаться начнёт.
Доктора такое чтенье
Запрещают перед сном.

Чаще вечером на ужин
Ешьте сочные арбузы,
Запивая их шипучей
Газированной водой,

И тогда вам постоянно,
Ну почти что каждой ночью,
Будет сон приятный сниться
Про журчащий ручеёк.

Если лужу обойдёшь
И ботинки не промочишь,
Могут строго наказать
За плохое поведенье,
Потому что ты опять
Не сумеешь простудиться
И придётся, как всегда,
Снова в школе хулиганить.

В дом приличный с шеей грязной
Не ходите, чтобы вам
Не срамиться, если будут
Вас оттуда в шею гнать.

В наше время может каждый
Очень быстро заработать.
Всё теперь зависит только
От тебя от самого.
Хочешь сразу заработать?
Подключись к электросети
Или пару батареек
В уши вставь и пожужжи.

Принимая подарок,
Благодарно кивни,
Разверни,
Осмотри его
С разных сторон,
Сколько стоит, спроси
И обратно верни.
Или просто,
С достоинством,
Выкини вон,
На глазах у того.
Кто его подарил.

Если новый сервиз
На двенадцать персон
Не вмещается полностью
В старый буфет,
Подбери инструмент,
Закатай рукава...
И скорее избавься
От лишних персон.

Если к вам подходит где-то
Незнакомый человек
И, куда-то приглашая,
Крепко за руку берёт —
Убегайте с ним скорее,
Чтобы папа не догнал.
И не дрыгайте ногами,
Когда вас он будет есть.

Если видишь в зоопарке
Волка, тигра или льва,
Не запихивай им в клетку
Руку, ногу или нос.

От ноги твоей у зверя
Может сделаться понос.
Посетители животных
Не должны кормить собой.

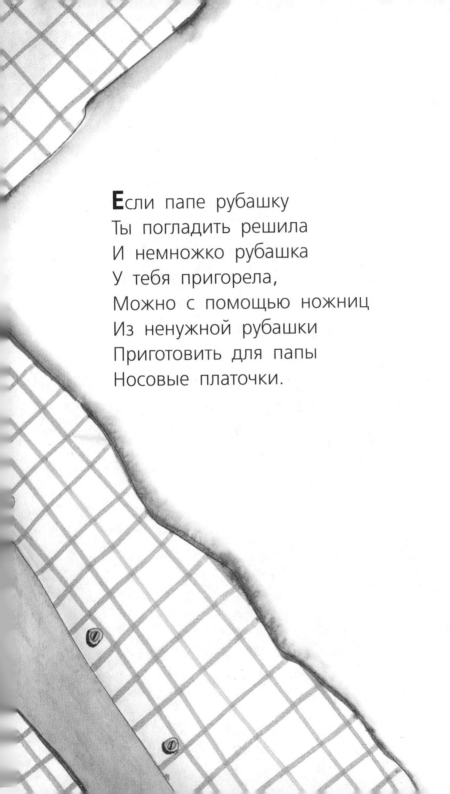

Если папе рубашку
Ты погладить решила
И немножко рубашка
У тебя пригорела,
Можно с помощью ножниц
Из ненужной рубашки
Приготовить для папы
Носовые платочки.

Если вместо пистолета,
О котором ты просил,
Вдруг домой приносит мама
Свёрток с маленькой сестрой,
Не бери. Скажи спокойно:
«Из сестёр стрелять нельзя.
Уноси её обратно
И меняй на пистолет».

Если выкинуть собрался
Что-нибудь из головы,
Погляди сначала, нет ли
Рядом маленьких детей.

Сон похож на телевизор:
Спишь и смотришь, что покажут.
Сны бывают про природу,
А бывают про людей.
Никого во сне не бойся,
Но, на всякий случай, руки
Сверху класть на одеяло
Никогда не забывай.

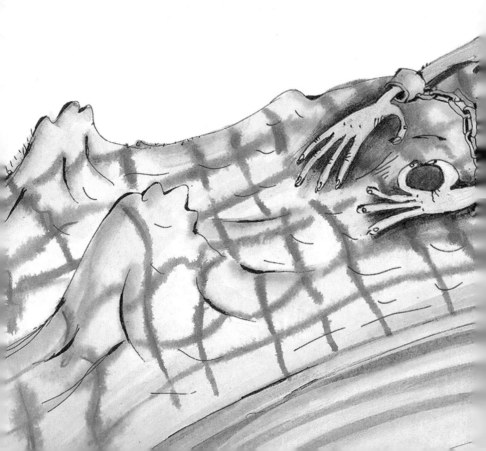

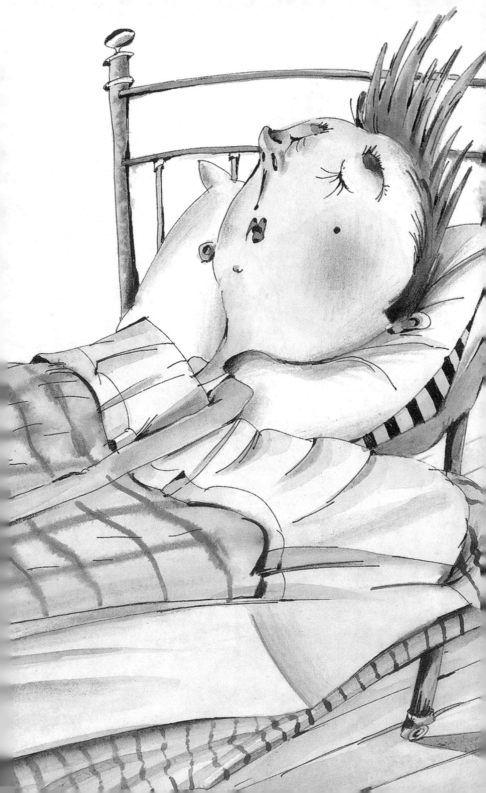

Если вас пошлют за хлебом,
Начинайте собираться:
Душ примите и в дорогу
Приготовьте бутерброд.
Кстати, раз уж вы сегодня
Всё равно из дома вышли,
Почему бы вам к знакомым
По пути не заглянуть?

Если, девочку домой
Провожая после школы,
Видишь, как она портфель
Еле тащит, надрываясь,
Не стесняйся — соверши
Смелый рыцарский поступок
И признайся ей, что ты
Кирпичи туда подсунул.

Если за уши тебя
Привели домой соседи,
Чтобы маме показать,
Чем ты в окна к ним кидался,
Говори, что это всё
Выпало из их квартиры
И, кидаясь, ты хотел
Честно им вернуть пропажу.

Чистоплотные люди
Не меняют носки.
Им противно руками
Трогать грязную вещь.
И не надо их трогать,
Постепенно носки
Тихо сами истлеют
И от ног отпадут.

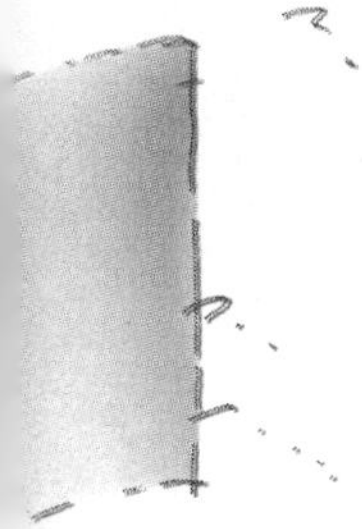

Если разные идеи
Лезут в голову к тебе,
Запирай скорее двери
И милицию зови.

Можно младшего братишку
Бить совочком по мозгам,
Но потом не удивляйся,
Что тебя он не поймёт,
Если лет через пятнадцать
Или, скажем, двадцать лет
Ласково попросишь брата
Одолжить тебе лимон.

Никого не беспокоя,
В стены стульями кидаться,
Прыгать ласточкой со шкафа
Можно только по ночам,
В поздний час, когда соседи,
Очумевшие от шума,
Ничего уже не слышат,
Потому что крепко спят.

Если мамина улыбка
Превращается в оскал
И уже звереет папа
У прохожих на глазах —
Не кривляйся, как макака,
Не болтай, как попугай,
Просто бегай и толкайся,
Как обычный человек.

Если ваши недостатки
Всем бросаются в глаза,
Значит, вы не научились
Хорошо себя вести.
Вам о вашем поведенье
Призадуматься пора.
Всем подряд в глаза бросаться
И царапаться — нельзя.
Нет, воспитанный ребёнок
Не бросается в глаза.
Он ведёт себя скромнее —
Ущипнёт и убежит.

Если вы идёте вместе с дедушкой
Вдоль витрин, наполненных игрушками,
За руку его возьмите ласково
И скажите, с лёгкой дрожью в голосе,
Что сильней, чем папу, маму, бабушку,
Вы его — родного деда — любите.
В этом месте мягко, но настойчиво
В магазин его вводите за руку.

Если вы на дискотеке
Веселились до утра,
А теперь спешите в школу,
Опасаясь опоздать,
Постарайтесь на минуту
Забежать к себе домой,
Чтоб родителей проведать
И подушку захватить.

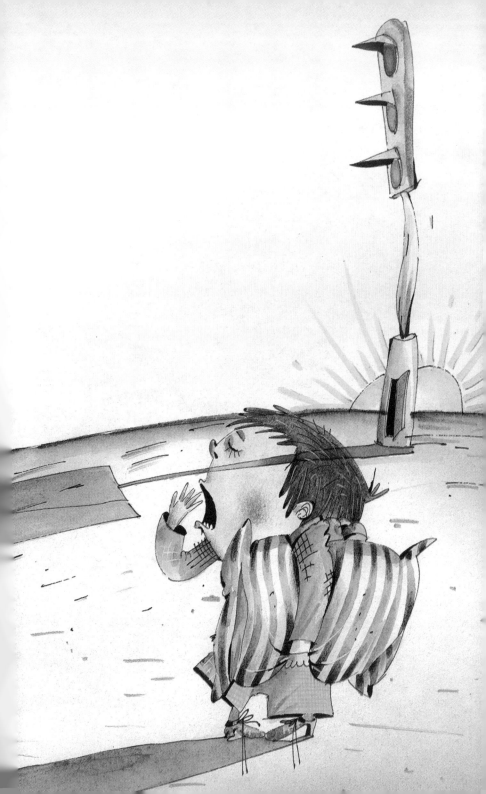

Пусть хихикает толпа,
Наблюдая ежедневно,
Как в июле вы гулять
Отправляетесь на лыжах.
Пусть хохочут. Через пять
Месяцев таких прогулок
Все поймут, что были вы
Дальновидным человеком.

Когда родители вбегут
И спрашивать начнут,
О чём же думал ты, когда
Плевался из окна,
Кормил салатом пылесос,
Газеты поджигал
И спихивал с балкона вниз

Фарфоровый сервиз, —
Спроси родителей своих:
А сами-то они
На что надеялись, когда
Себе однажды, вдруг,
Решили мальчика родить
И завели тебя?

Приближаясь к незнакомым мальчикам,
Девочка должна уже заранее
Им навстречу корчить рожи злобные,
Камни, палки, кулаки показывать
И угрозы разные выкрикивать.
Пусть издалека ещё почувствуют,
Что не даст себя в обиду девочка.

Конфеты — это не еда,
От них не будешь сыт.
Кто слишком много ест конфет,
Тот ходит без зубов.
И руки липкие от них,
И аппетита нет,
Поэтому не ешь конфет,
Отдай их лучше мне.

Если нет у вас собаки,
За собой на поводке
Поводите по квартире
Электрический утюг.
Чтобы он паркет не портил
И на коврик луж не лил,
Трижды в день его на травку
Выводите погулять.
А чтоб вечером грабитель
Не забрёл на огонёк,
На дверях пишите мелом:
«Осторожно: злой утюг».
Ни один нормальный жулик
Даже нос не сунет в дом,
Где его подстерегает
Встреча с крупным утюгом.

Раскрашивать можно
Не только картинки,
Раскрась на досуге
Себя и кота.
Пусть мама и папа,
Вернувшись с работы,
Двенадцать отличий
Меж вами найдут.

Если вам во время драки
Кулаком попали в лоб,
А потом пришли мириться,
Предлагая всё забыть,

То сначала пусть подставят
Лоб под ваши кулаки,
А потом про всё забудут,
Когда память отшибёт.

Учись расстёгивать крючки
И платьице снимать.
Не говори: «Мальчишка я
И платьев не ношу».
Никто не знает, что его
В дальнейшей жизни ждёт.
Любые знанья могут нам
Понадобиться вдруг.

Если в гости к знакомым своим приходя,
Вы доводите их до того, что они
Начинают кричать, чтобы вашей ноги
Никогда больше не было в доме у них,
Обещайте им ногу свою под трамвай
Положить или тиграм на завтрак отдать
И сегодня же к ним прискакать без ноги,
Раз им так уж не нравится эта нога.

Если бабушка мешает
Скатерть вилкой протыкать,
Если мама чашку с чаем
На пол скинуть не даёт,
Задыхаясь от обиды,
Не показывайте слёз:
Оскорблённые мужчины
Унижаться не должны.
Пусть увидят все, как молча,
Не склоняя головы,
Навсегда от женщин ваших
Вы уходите под стол.

Пойди спроси у бабушки,
Зачем была нужна
Коробочка, которую
Ты выкинул в окно.
И если вниз по лестнице
Помчится вся семья,
Посоревнуйся с дедушкой,
Кто бегает быстрей.

Открой коробку с нитками
И ножницы достань,
Найди на платье мамином
Какой-нибудь узор,
И, аккуратно вырезав,
Возьми его себе.
Наденет платье мамочка
И вспомнит о тебе.

Если задразнили вы
Младшую сестру,
Нагрубили дедушке,
Брату дали в глаз,
Папу не послушались
И вокруг стола
Бегали от бабушки,
Высунув язык,
Постарайтесь выяснить,
Почему на вас
Мама обижается,
Разве чем-нибудь
Вы её обидели?
Ведь за целый день
Ничего не сделали
Вы плохого ей.

Если к кошке подкрасться
Не с той стороны,
Поцарапаться можно
Об когти её.

Но наука ещё не сумела пока
Разузнать, где у кошки не та сторона,
Что опаснее: сзади хвататься за хвост
Или спереди дружно тянуть за усы.

Если хочешь напугать
Смелых попугаев,
Повторяющих твои
Глупости отважно,
Покажись им и скажи,
Что довольно скоро
Будут выглядеть они
Не намного лучше.

Не бойся выглядеть глупее,
Чем кажешься на первый взгляд,
И смело задавай вопросы
Про непонятные слова,
Которые услышать можно
От образованных людей,
Когда нечаянно при встрече
Им заезжаешь локтем в глаз.

Смотреть не надо свысока
На пап своих и мам.
Быть снисходительными к ним
Не так уж трудно нам.
Но если мы к ним снизошли,
А нас за шкирку — хвать!
То можно вырваться и вновь
На дерево залезть.

Если видишь, как друг друга
По лбу бьют твои враги,
Помирись скорее с ними
И обоим помоги.

Если ты кусочек масла
На колени уронил
И нечаянно размазал
По своим штанам его,
Положи на это место
Два кружочка колбасы
И накрой листом салата,
Чтоб украсить бутерброд.

Тот, кого ты возле уха
Крепко держишь в кулаке,
Пусть сначала честно скажет,
Есть ли жало у него.

Учитесь кашлять.
Кашель наш
Надёжный, верный друг.
Того, кто с нами слишком строг,
Он сделает добрей.
Он даже тех, кто зол на нас,
Заставит нас жалеть.
И в трудный час
Ещё не раз
От школы нас
Спасёт.

Например, тебя хотят
Отучить кривляться,
Громко глупости кричать,
Хныкать и плеваться,
Дёргать кошек за хвосты,
Девочек за косы,
Незнакомым задавать
Дикие вопросы,
Бить ногами всех подряд,
Кашу есть руками
И показывать язык
Бабушке и маме.
Это трудно, но у них
Может получиться.
Будь готов тогда всему
Заново учиться.

Умирая от зависти,
Кукол своих
На прощание
Лучшей подруге отдай,
Чтоб она, на подушку
Роняя слезу,
Иногда по ночам
Вспоминала тебя.

Если ты сестру в сраженье
Начинаешь побеждать,
А девчонка на подмогу,
Маму с бабушкой зовёт,

То и ты вводи резервы:
Папу с дедушкой зови.
И посмотрим, кто сумеет
В этой битве устоять.

Каждый раз, когда захочет
Мама ногти стричь тебе,
Радуйся, что ты мальчишка,
А не дикий хищный зверь.
Если б ты, как лев когтистый,
По кустам скакал с хвостом,
То тебя б гораздо чаще
За него ловила мать.
Хвать — и всё! А человека
Пусть попробует поймать.

Подкиньте любимую
мамину вазу,
Чем выше взлетит
над паркетом она,
Тем больше у вас
будет времени, чтобы
Спокойно обдумать
поступки свои.

Не размахивай руками
Перед носом у врага.
Прячь их за спину, скрывая,
Чем ты там вооружен.
Пусть враги, тебя мутузя,
Не узнают никогда,
Что твои сжимают пальцы:
Саблю или пистолет.

Если шариков немножко
Не хватает у тебя,
Потому что мало слишком
Их на праздник принесли,
Смело шарик свой воздушный
Разрезай напополам.
Станет их гораздо больше —
Не один, а целых два.

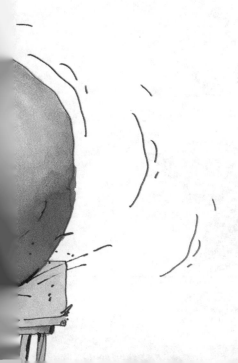

Если ты с подругой лучшей
Расплевалась навсегда
И сказать ей не успела,
Кто она такая есть,

Помирись пойди и больше
С ней не ссорься до тех пор,
Пока всё, что накипело,
Ей не выскажешь в глаза

Если ты решил купаться
И с обрыва прыгнул вниз,
Но в полёте передумал
В речку мокрую нырять,
Прекрати паденье в воду
И лети обратно, вверх.
Изменить своё решенье
Может каждый человек.

Не задавай отцу вопросов,
Когда он занят чем-нибудь,
По пустякам от дела папу
Не должен мальчик отвлекать.
Не издавай внезапных криков,
Не дергай папу за штаны,
Веди себя как можно тише,
Когда он шлёпает тебя.

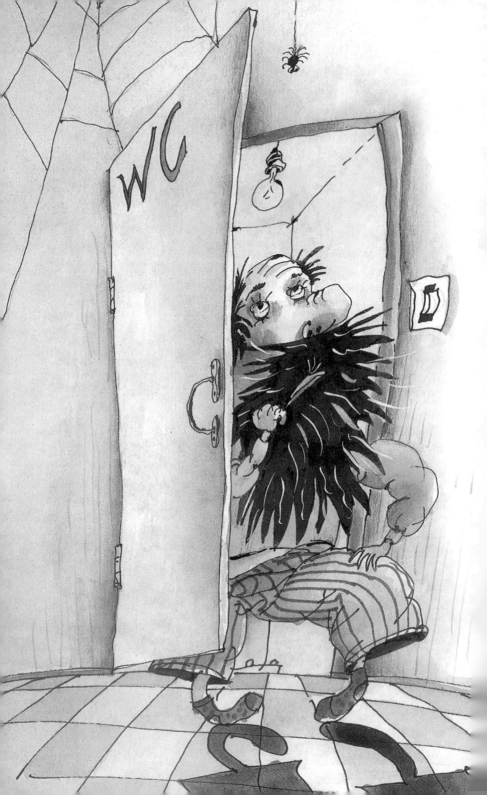

Не бойся немытые овощи есть
И грязные фрукты жевать.
За это тебе не придётся в тюрьме
Сидеть, и сидеть, и сидеть.
Сидеть, и сидеть, и сидеть, и сидеть.
Сидеть, и сидеть, и сидеть.
Сидеть, и сидеть, и сидеть, и сидеть.
И снова сидеть и сидеть.

Клади в карманы только то,
Что лезет в твой карман,
А что не лезет — никогда
В карманы не клади.
По крайней мере, убедись,
Что нет в кармане дыр
И всё, что сунул ты туда,
Сидит не шевелясь.

Если ночью осторожно
Из кармана взять его,
Поиграть не очень долго
И на место положить,
То родители про это
Не узнают ничего
И пропажу обнаружить
Не успеет кенгуру.

Не сразу во всём признавайся. Сначала
Скажи, что, играя в футбол во дворе,
Ты сильно друзей огорчил, потому что
Промазал и гола забить не сумел.
Чуть-чуть помолчи и добавь, что окошко
Разбилось и хочет хозяин окна,
Чтоб папа пришёл и стекло лобовое
Вставлял в шестисотый его «мерседес».

Если летом пекло в доме
И на улице жара,
Шапку зимнюю достаньте
И, пальто своё надев,
Залезайте в холодильник,
Только, боже упаси,
Не сидите слишком долго
На холодной колбасе.

Если в детскую больницу
Вас приводят на рентген,
Попросите, чтобы доктор
Маме вас не выдавал,
И, когда начнёт на снимках
Ваши косточки считать,
Пусть молчит про то, что вишни
Целиком глотали вы.

Если табуретку
ты на стол пристроишь,
И поставишь сверху
маленький свой стульчик,
А потом положишь
стопку толстых книжек —
Выйдет путь отличный
прямо к самой люстре.
Если осторожно
будешь подниматься,
И беды в дороге
если не случится,
То довольно скоро
сможешь оказаться
В первой же ближайшей
от тебя больнице —
В гипсе руки, ноги,
бинт на пояснице.

Взгляни на дедушку, ему
Не так уж мало лет,
А он не плачет, не кричит,
Что он уже большой
И что теперь ему никто
Не должен запрещать
Играть с иголками и в пол
Втыкать консервный нож.

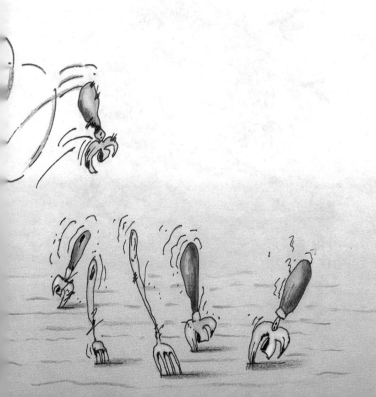

Если ты просила кукол,
А тебе трусы купили,
Крикни маме возмущённо,
Что не будешь в них играть.
Даже пальцем их не тронешь.
Пусть сама в трусы играет:
Надевает и снимает
То с тебя, то на тебя.

Если брата до рассвета
Потихоньку растолкать
И поведать сон, в котором
Голос ангела с небес
Обещал, что свой компьютер
Вам подарит старший брат,
То, возможно, сон ваш вещий
Сбудется уже к утру,
Если только брат спросонья
Не пошлёт ко всем чертям.

С набитым ртом не начинай
Серьёзный разговор.
Всегда клади в карман еду,
Носи её с собой.
И если спросят, почему
Ты двоек нахватал,
Скорее что-нибудь кусай
И жуй, и жуй, и жуй.

Не каждому ребёнку
Приятно кушать суп.
Бывает суп несладким,
И это не секрет.
Но можно в суп тихонько
Варенье положить,
Налить немного мёду
И накрошить конфет.
Теперь добавьте сахар,
И можно выливать.
Никто вас не заставит
Такую гадость есть.

Быть красивой ни к чему —
Слишком хлопотное дело.
Смолоду и до седин
Вечно бегай на свиданья —
Даже некогда присесть
И спокойно выйти замуж.

Когда увидишь червяка,
Не ешь его живьём.
Сперва добычу покажи
Родителям своим.
Умоет мама червяка,
И станет он вкусней,
А папа скажет, нет ли в нём
Опасного крючка.

Это совет для очень
маленьких рыбок. Если ты уже
не маленькая рыбка, а совсем большая,
можешь заменить в этом совете «червяка»
на «жениха».

Когда тебя ударит током,
С размаху сдачи не давай.
Уйди в сторонку, спрячь обиду
И сделай вид, что всё простил.
Без спешки надо месть готовить.
У папы клещи попроси,
А ночью подкрадёшься сбоку
И перекусишь провода.

Если ничего на вас не действует,
Ни учителей нравоучения,
Ни протяжный долгий крик директора,
Ни ремень отца, ни слёзы матери,
Значит, вы скончались, то есть померли,
Безучастным сделались покойником.
Вам среди живых слоняться нечего,
Ваше место на ближайшем кладбище,

А хозяйство ваше: велик, ролики
Клюшка, плеер, диски — всё имущество, —
Наконец-то и без промедления,
Перейдёт в наследство брату младшему.

Если мама уверяет,
Что нашла тебя в капусте,
Пусть она скорей покажет,
Где же этот огород,
Чтоб могла ты там на грядке
Поискать себе котёнка
Или, если нет котёнка,
То хотя бы хомячка.

Если хочешь до горшочка
Добежать без опозданья,
Не теряй на старте время.
Выпил чаю и беги!

Старательные мальчики
Над книжками сидят
И честно дело каждое
Доводят до конца.
Поэтому, раз начал ты
Из книг страницы рвать,
Пусть дома не останется
На полках целых книг.

Если ты как будто лодка
И попал в ужасный шторм,
И тебя по всей квартире
Носит бурная волна,
А диван как будто остров
В океане впереди
И на нём живёт под пальмой
Задремавший папа твой,
То, конечно, папа будет
Твоему спасенью рад,
Если яростные волны
На него тебя швырнут.

Мимо двери проходя,
В щёлку вкладывайте палец.
Не случится ничего —
Дверь щекотки не боится.
Ну а если палец ваш
Навсегда остался в щёлке —
Можно плюнуть на него.
Есть ещё в запасе девять.

Если вы, не спросив разрешенья войти,
В середине урока вбегаете в класс,
Не забудьте учителю строго сказать,
Что сегодня опять недовольны вы им,
Пусть родителям он престарелым своим
Передаст, чтобы завтра же

в школу пришли.
Будет с ними серьёзный у вас разговор,

Потому что уже невозможно прощать
Безобразные выходки эти его.
Почему он без вас начинает урок?
Неужели не может хоть раз подождать?

Не шуми на уроке,
Соблюдай тишину,
Чтобы было не слышно
И не видно тебя.
Если тихо под партой
Весь урок просидеть —
Есть надежда без двойки
Возвратиться домой.

Не надо думать, что хороших
Детей не лупят никогда,
Довольно часто достаётся
Им даже больше, чем плохим.
Вот, например, один ребёнок
С утра себя прекрасно вёл
И схлопотал от папы с мамой
За то, что натворил вчера.

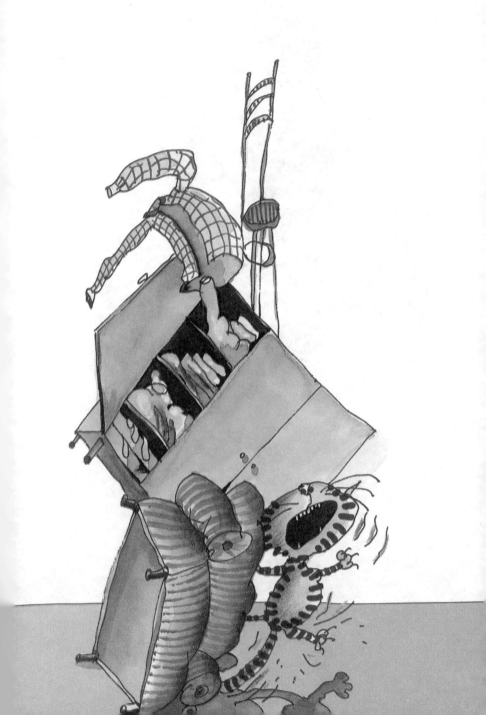

Если на тебя друзья обиделись,
Потому что с ними ты не делишься,
Где-нибудь добудь побольше вкусного,
Разложи по маленьким тарелочкам,
И как только скушаешь, так сразу же
Поделись с друзьями впечатлением.

Например, тарелку каши
Предлагают вам с утра,
Говорят, что витамины
В ней кишмя кишат до дна,

Говорят, что для желудка
Ничего полезней нет
И за это вы всем сердцем
Полюбить должны её.

А с утра на кашу эту
Вам не хочется смотреть,
Вам с утра при встрече с нею
Хочется закрыть глаза.

Если есть её не глядя,
То, возможно, мимо рта
Много ложек этой каши
Вам удастся пронести.

Ровно в полночь папу с мамой
Диким криком разбуди,
И когда, столкнувшись лбами,
Над тобой склонятся, им

Объяви, что всей душою
Их обоих любишь ты
И уже настало время
Им об этом сообщить.

Если ножка сломалась,
Маму с папой зови.
Пусть родители с пола
Поднимают тебя
И сажают на целый,
Не поломанный стул,
Чтобы мог ты, качаясь,
Стулу ножки ломать.

Тот, кто в гости вместе с папой
Не ходил к его знакомым
И селёдкой с винегретом
Не кидался там, в гостях, —
Тот не знает, что такое
Всенародная известность.
Сразу все вокруг вниманье
Обращают на тебя.

Если ты уже не можешь,
Потому что нету сил,
И шестой кусище торта
Глубже горла не идёт,
Отложи на время ложку,
Чтоб не портить аппетит,
И попробуй на досуге
Бутерброды с ветчиной.

Если мамину кисточку
Дома нашла,
Но ещё не решила,
Кого рисовать,
Перед зеркалом встань,
Тушь с помадой смешай
И себя нарисуй
У себя на лице.

Начиная в неудаче
Виноватого искать,
Опасайся слишком близко
Приближаться к зеркалам.

Осторожные дети
Одеваются тихо
И на цыпочках в школу
Ежедневно приходят,
Потому что боятся,
Что проснётся их совесть
И пристанет, зануда,
И заставит учиться.

Если дочка слишком поздно
Ночевать домой пришла
И бедняжке не ложиться,
А вставать уже пора,
Пусть она ответит маме
На расспросы, где была,
Что теперь учиться в школе
Заставляют по ночам.

Если в школе дисциплину
Постоянно нарушать,
То она, снижаясь плавно,
Тихо на пол упадёт.
И тогда на перемене
Сможет каждый ученик
Из пушистой дисциплины
Налепить себе снежков.

Не соглашайся на обед
Невкусное жевать.
Всю нелюбимую еду
Выплёвывай под стол,
А если кто-нибудь тебя
За это упрекнёт,
Пусть достаёт из-под стола
И доедает сам.

Не может быть тому прощенья,
Кто вас нечаянно толкнул,
И никакие объясненья
Его не могут оправдать,

А если вы его случайно
Ногой ударили по лбу,
То вы ни в чём не виноваты
И он обязан вас простить.

Для мальчишки красота —
Только лишняя морока.
Прячь скорее красоту
Под глубоким слоем грязи,
А иначе как начнут
Назначать девчонки встречи,
И придется посещать
Регулярно все свиданья,
Потому что там с тобой
Нянчиться никто не будет —
Эти девочки, они
Хуже, чем директор школы:
За единственный прогул
Исключают в тот же вечер.

Если вы решили окончательно,
Что дружить с девчонками не будете,
Сообщите им об этом письменно,
А письмо в газете напечатайте
Вместе со своим обратным адресом.
И по почте вам придут немедленно
От девчонок сотни писем жалобных,
Будут в письмах вас они упрашивать
Подружиться с ними хоть немножечко,
Но на письма вы им не ответите.

Ты можешь гордиться своими ногами,
Способными тысячи вёрст прошагать,
И можешь гордиться своими руками,
Готовыми горы свернуть на пути,
Чтоб только добраться туда, где не надо
Игрушки свои перед сном собирать.

Смотри внимательно за братом,
Чтоб лишнего не брал себе.
Теперь пошли такие братья —
За ними нужен глаз да глаз.
Когда во время драки лупят
Тебя и брата во дворе,
Всегда следи, чтоб доставалось
Тебе не меньше, чем ему.

Школьник, смело в первом классе
Окунайся в море знаний,
Через десять лет на берег
Выходи, как гусь — сухой.

Если вы ведёте пса бездомного
В дом к себе, чтобы о нём заботиться,
Посмотрите, нет ли на ошейнике
Поводка с вцепившимся хозяином.

Если при ближайшем рассмотрении
Вам еда в тарелке не понравилась,
Быстро поменяйте точку зрения
И взгляните на тарелку издали.

Если все девчонки в классе
Нос воротят от тебя,
Осмотри свои ботинки
И в штанишки загляни.

Если друг проходит мимо
И руки не подаёт,
Дай ему по шее сзади,
Чтобы на пол рухнул он.
И, когда валяться будет
Друг, как тряпка, на полу,
Руку помощи бедняге
Дружелюбно протяни.

Если вас уже догнали,
Но пока ещё не бьют,
Расскажите им, какой вы
Безобидный человек.
А в оставшееся время,
Перед тем как бить начнут,
Перечислите, что с ними
Сделает ваш старший брат.

Если вы решили резко
Изменить свой внешний вид,
Отправляйтесь на природу
И дразните диких пчёл.

Если всё ещё не ходит
Слишком младшая сестра,
Если с этой жалкой крохой
Не сыграешь ни во что,
Может старший брат в посылке
Сам себе послать сестру.
Пусть, пока идёт по почте,
Хоть немного подрастёт.

Если ты себя с размаху
Молотком по пальцу — бац!
Не вини того, кто гвозди,
Нам на горе, изобрёл,
Потому что, несомненно,
Виноват в твоей беде
Не гвоздей изобретатель,
А создатель молотка.

В горчицу булку накроши,
И чайной ложкой съешь,
И будешь знать, как горек хлеб
Твоих учителей.

Если вы не научитесь
Лучших друзей
Ежедневно
По тысяче раз предавать,
То они никогда
Не отстанут от вас.
Так и будут всё время
Мозолить глаза.

Не кидайтесь кирпичами
В тех, кто хочет вам добра.
Даже если эти люди
Вас воспитывать начнут,
Не пинайте их ногами
Не грозите им гвоздём.
В крайнем случае, от взрослых
Можно просто убежать.

Если вы упали в лужу,
Не спешите встать.
На глазах у всех из лужи
Стыдно вылезать.
Чтоб над вами не смеялись,
Надо сделать вид,
Что давненько присмотрели
Эту лужу вы.
Лягте на спину, скрестите
Руки на груди
И шепните восхищённо:
«Как тут хорошо!»

ПРОЩАЛЬНЫЙ СОВЕТ

От знакомых уходя,
Не забудьте попрощаться.
Если так и не простят,
Можете пожать плечами.
Ну, подумаешь, диван
Кетчупом у них облился,
Вы же кетчуп не в диван —
На свою тарелку лили.
Ну, немножко по ковру
Растоптались баклажаны,
Неужели же ковер
Им дороже человека?
А вареньем на стене
Вы картин не рисовали,
Им на память вы своё
Написали только имя.
Вот салаты со стола
Вы действительно столкнули.

Но ведь это не со зла,
А нечаянно — локтями.
Телевизор им ломать
Вы, конечно, не хотели,
Он у них и так-то был
Не особенно хороший.
И по зеркалу мячом
Не попали вы ни разу,
С длинной трещиной оно
Было с самого начала.
И следов на потолке
Вы нигде не оставляли,
Это вы ботинок свой
Побросали вверх немножко.
И компьютерную мышь
Вы котёнку не дарили,
Просто дали поиграть
Ненандолго и с возвратом.

И с балкона телефон
На прохожих не кидали.
Он на улицу упал,
Потому что был тяжёлый.
И ногами в торт никто
Наступать не собирался,
Просто нужно было вам
С люстры снять воздушный шарик.
Кто же думал, что она
Так непрочно прицепилась...
Надо было укреплять,
Вот она б и не упала
На пожарных, когда те
Вдруг в окошко прибежали,
Чтобы вешалку тушить
Возле двери в коридоре.
Там, на вешалке, пальто
Вы ничьи не поджигали,

Просто так, для красоты,
Свечки вставили в карманы.
В туалете молотком
Вы бачок не разбивали.
Это был не молоток,
А бутылка с чем-то синим.
Очень скользкая она
Почему-то оказалась.
Вот поэтому у них
Унитаз и раскололся.
А к обидчивым таким
И злопамятным знакомым
Вы и сами никогда
Больше в гости не ходите.

Ничего прекрасней детства
Человеку не дано.
Свет его сквозь годы мчится
В подрастающей душе.
Знай, что в каждом
Взрослом сердце
Есть заветный уголок,
Там калачиком свернулся
Папин старенький ремень.

Для младшего школьного возраста

Григорий Бенционович Остер

ВСЕ ВРЕДНЫЕ СОВЕТЫ

Художник А. Мартынов

Дизайн обложки А. Логутовой

Редактор *С. Младова*. Художественный редактор *Е. Гальдяева*
Технический редактор *Т. Тимошина*. Корректор *И. Мокина*
Компьютерная вёрстка *В. Рыкова*

Подписано в печать с готовых диапозитивов 04.02.2011
Формат 60x90/16. Бумага офсетная. Печать офсетная. Гарнитура Freeset
Усл.печ.л. 30,0. Тираж 10 100 экз. Заказ 1219

Санитарно-эпидемиологическое заключение
№77.99.60.953.Д.001683.02.10 от 05.02.2010 г.

ООО «Издательство Астрель».
129085, г. Москва, проезд Ольминского, д. 3а

ООО «Издательство АСТ».
141100, РФ, Московская обл., г. Щёлково, ул. Заречная, д. 96

Наши электронные адреса:
WWW.AST.RU
E-mail: astpub@aha.ru

Общероссийский классификатор продукции
ОК-005-93, том 2; 953000 — книги, брошюры

Издано при участии ООО «Харвест». ЛИ № 02330/0494377 от 16.03.2009.
Республика Беларусь, 220013, Минск, ул. Кульман, д. 1, корп. 3, эт. 4, к. 42.
E-mail редакции: harvest@anitex.by

Республиканское унитарное предприятие
«Минская фабрика цветной печати».
ЛП № 02330/0494156 от 03.04.2009.
Республика Беларусь, 220024, Минск, ул. Корженевского, 20